un
stribedyn
bach

un stribedyn bach

rhys iorwerth

Argraffiad cyntaf: 2014

Cyhoeddwyr: Gwasg Carreg Gwalch

Rhif rhyngwladol: 978-1-84527-478-8

Mae'r cyhoeddwyr yn cydnabod cefnogaeth ariannol
Cyngor Llyfrau Cymru

Darluniau: Rhys Aneurin

Dylunio: Eleri Owen

Cyhoeddwyd ac argraffwyd gan Wasg Carreg Gwalch,
12 Iard yr Orsaf, Llanrwst, Conwy, LL26 0EH.
Ffôn: 01492 642031 Ffacs: 01492 641502
e-bost: llyfrau@carreg-gwalch.com
lle ar y we: www.carreg-gwalch.com

Diolch ...

I fy mam, am orfod bwrw barn ar bob pennill a welodd olau dydd gen i erioed (heblaw am y pethau ofnadwy o ddi-chwaeth).

I'r degau ar ddegau o bobol sydd wedi bod yn rhan o storïau'r cerddi yma mewn rhyw ffordd (neu wedi gorfod gwrando arnaf fi'n eu darllen).

I Rhys Aneurin (ei frwsh sy'n eiriau), ac i Myrddin a Gwasg Carreg Gwalch.

I Llenyddiaeth Cymru am Ysgoloriaeth Awdur yn haf 2013 i ddechrau rhoi'r gyfrol ar ei thraed.

Rhys Iorwerth
Caerdydd, Mehefin 2014

Cynnwys

9 Yn y cei
10 Ti'n cofio'r tro
11 A phan ddaw 'na wlith
12 Galw heibio
14 Mae'n ha, a dyma nhw'n dod...
16 Niwl o'r môr
18 Clawdd terfyn
18 *Y ferch wrth y bar yng Nghlwb Ifor*
19 *Rhedeg i Baris*
20 *Gwesty'r Cymry*
21 *Casino Royale*
21 *Lawr yn y ddinas*
22 *Ar lan y môr*
23 *Gwin a mwg a merched drwg*
24 *Pam fod eira'n wyn*
25 *Yr un hen le*
26 Roedd o'n eiddgar i siarad
27 Rhy hen
28 Dre
29 Mynd i brynu pys
30 Ar gyrion y dre
32 Chwech englyn
34 Dennis
36 Chwe chwestiwn
37 Mae'n fin nos diddos
38 Madame Sybille
39 Y diwrnod ar ôl y dêt
40 Prifddinas

41 Ar Heol Santes Fair
44 I Wynedd un diweddydd
45 Chwe gwirionedd
47 Mae un lôn ym mhen y wlad
48 11 Rhagfyr 2012 mewn 336 o sillafau
50 Hen stori
51 Yng Nghlwb Gwawr Caerdydd
52 Canllaw hollgynhwysol
54 Be sy'i angen ar yr iaith
56 Chwech englyn
58 Un dyn a'i beint
60 Cawodydd haf
61 Henwr cŵl yn hanner cant
64 I Mari ac Ed
65 Dwbwl fy oed
66 Woodville Road
67 Caersaint
68 Diwedd yr ha yng Ngŵyl Gwydir
71 Mae lôn yn ôl
72 Mae'r gwanwyn lond yr awyr
73 Fel hyn, mae'n siŵr
76 Un stribedyn bach
78 Alban Hefin

Yn y cei

Roedd y dŵr mor ddidaro
ag erioed, yn golchi'r gro
tua'r wal (fel gwnaeth trwy'i oes).
Yn y cei fel bardd cyfoes
(wyddai neb) eisteddwn i,
fy hwyliau'n difrifoli
wrth holi'n rhith o olau
y sêr bach a groesai'r bae
pam mai fi oedd fi, pam fod
un aber o anwybod
o'n blaenau. Ar ôl blino
gofyn hyn, a Thir na nÓg
yn daith i'r gorwel, a duw
a'i rwystrau'n fôr o ystryw,
rhois y gorau i sgwario'r
hen dir hwn. Ac es am dro.

Tachwedd 2012

10 Ti'n cofio'r tro

Ti'n cofio'r tro ar y traeth
un ha, cyn bod amheuaeth,
cyn i amser roi cerydd
a'n dal yn llygad y dydd?

Cyn i'r ewyn ein rhewi
yn llun, a chyn oeri'r lli
a siliwéts swil y lan?

Gorwel o gesig arian,
rhes o sbliffs a lagers blêr
a'r rheini ar eu hanner,
a haul Awst yn troi'n glwstwr
o liwiau ar donnau'r dŵr.

Cwrw a mwg hwyr y môr,
tamaid o'n diwedd tymor
a sêr y nos, o roi naid,
yn agor yn dy lygaid.

Yn rhywle'n llond yr heli
mae'r un tro hwn, am wn i.

Hydref 2009

A phan ddaw 'na wlith

Mi glywais dy lais o'r strydoedd fan draw
ryw nos Fawrth unig ar Cowbridge Road East;
clywed oglau boreau Brains trwy'r glaw'n
golchi dros Wood Street a'i thrigolion trist.
Dy weld di'n diflannu'n ddi-hwyl un pnawn
yn y mwg egsôst lawr Ninian Park Road,
yn gwrthod egluro'n dy ddagrau'n iawn
i ble'r aeth yr iaith oedd rhyngom i fod.
Eto mi wn i, rhwng gwylnos a gwaith,
fod ysbryd y dociau'n dawnsio trwy'r bae;
ar hyd strydoedd Canton mi wela i'r ail waith
y wawr sydd yn hel pererinion strae
a phan ddaw 'na wlith dros y strydoedd cefn,
cael cusan fach slei wnawn ni'n dau drachefn.

Mehefin 2012

Galw heibio

Does 'na'm llongau ar y cei yn hwylio,
na chwaith filwr ar y tŵr yn gwylio
Porth yr Aur wrth iti alw heibio.

Sôn mae'r heli dros Bendeits fod heno
ar y maes rai pethau wedi peidio,
dyddiau wedi mynd, ond hidia befo.

O Ben Twtil, chei di'm mastiau uchel
yn diflannu ar eu cyrch i'r gorwel,
na'r un morwr caib yn sownd mewn cornel.

Dim o'r stêm a dim o lwch y chwarel,
dim ond ambell un, fel chdi, yn mochel
o dan cloc â'i fag o jips, yn dawel.

Does 'na'm tanau herwr ar y muriau
lle'r aeth Sais a'i gynffon rhwng ei goesau;
chdithau'n mynd i barti yn Hen Waliau.

Wrth yr Aber, dim o gyffro'r ffeiriau,
hoglau inc yn sychu, nac ôl cledrau,
dim ond chwa o'r Fenai lle bu'th gamau.

Mae cariadon heno ar y foryd,
rhai'n Llanbeblig hefo hen anwylyd;
rhai'n y Blac, a'r haul min nos yn diengyd.

Dros y lle, mae hogiau'n byw i'r funud;
rhai yn gwybod na fydd modd dychwelyd,
dim ond dilyn dŵr y cei i'r machlud.

Mehefin 2013. Fersiwn o gân a recordiwyd efo Rhydian Gwyn Lewis.

Mae'n ha, a dyma nhw'n dod...

Mae'n ha, a dyma nhw'n dod
i'w tai sydd wrth y tywod,
trwy drefi cysglyd, diog
y wlad ar ganiad y gog.
Galan Mai, troi i'w glan môr
yn rheng, a bwrw angor
yng nghysur achlysurol
eu hail gartre adre'n ôl.

Ac yn siriol o solet,
dyma chdi a fi'r hen fêt
yn dangos sut mae dengid
o'r Wynedd oer yn ddi-hid,
o wagedd Ceredigion
a llanw mawr Llŷn a Môn.
Troi i'r ddinas fras, ddi-frain
a llond Caerdydd a Llundain
o ddaear yn ein haros
dan lafnau neonau'r nos.

Ond daw'n aea; dyma daith
ar hyd yr un hen rwydwaith
trwy'n trefi cysglyd, diog
di-dwrw ni i Dir na nÓg.
Yn awyr glir a hwyr gwlad
y sêr a llawer lleuad,
yng nghysur achlysurol
pob un cartre adre'n ôl,
pwyntio'n araf ataf fi
am ryw awr mae Eryri.

Tachwedd 2012. Roedd ystadegau wedi cael eu cyhoeddi o'r newydd am ganran uchel y tai ha yng Ngwynedd.

Niwl o'r môr

I'r awyr taflodd rhywun
hen wlanen, a'i hel dros Lŷn.
Hel trwy'r wlad rhyw olau od,
golau o Gantre'r Gwaelod
oni fedrai Garn Fadryn
mwy weld dim o'i wlad ei hun.
Gŵr y lloer fu'n digio'r lli,
a'r hunllef o ddŵr Enlli
ar bob talar yn aros
o odre'r Eifl draw i'r rhos.
Fel yna y diflannodd
y tai un Mai. A'r un modd,
aeth y brain hwythau o'u bro
a'r niwl o'r môr yn wylo.

Gorffennaf 2007

Clawdd terfyn

Y ferch wrth y bar yng Nghlwb Ifor

Yn fan hyn, aeafau'n ôl,
yn ddifaddau o feddwol,
fe'i gwelais; estynnais stôl.

Ordrais beint ar draws y bar
a'i gwylio, yn llawn galar,
yn ei sgert trwy'r mwg sigâr.

Yn ei llygaid tanbaid hi
roedd 'na gefnfor o stori,
a hyder a direidi

yn eu llawnder i'n herio,
trwy ryw wyrth, y dôi ein tro
ond a dal i'w lled-wylio...

Ym mrad yr edrychiadau,
yn sŵn ein dawns ni ein dau,
am ei swyn mi es innau

yn rhy ddedwydd freuddwydiol,
yn ddifaddau o feddwol,
yn fan hyn, aeafau'n ôl.

Rhedeg i Baris

Mi awn, meddwn, ar rimyn meddwi,
heno mi awn i le y mynni.
Awn i'r stesion a mynd ohoni
ar y trên hwyr, a'r tir yn oeri,
dan glog o fabinogi. A thrwy dân,
awn ni'n ddiddan, yn ddau ddyweddi.

Ar lein wledig a thrwy goedwigoedd,
awn hyd orwel y cyfandiroedd:
ar ras ifanc, mynd trwy orsafoedd
a ffeirio'r rheini am ddyffrynnoedd.
Awn ar antur i wyntoedd, heb aros
y lleuad nos yng ngwyll dinasoedd!

O dan y niwl a thrwy dwneli
yn trio rhifo'r holl gantrefi,
awn am y ffin, a'r llwybrau inni'n
troi'n raddol o ganol clogwyni
nes down at fôr sy'n torri fesul ton
ei hen ystyron dros ein stori.

A phan ddaw'r wawr ar ei hawr orau
fel y daeth ar dros fil o deithiau,
dros wydrau gwin mi oedwn ninnau
i wylio'r haul, a'r awyr olau,
a'r trên i'r de'n mynd â dau dros y tir
i le a enwir mewn calonnau.

Gwesty'r Cymry

Mi ddown mewn dim i ddinas
lwyd a blêr, a chlywed blas
oglau diarth ei tharth hi'n
cario'r niwl rhwng corneli.

Dinas hud y nos yw hon,
caer i adael cariadon
yn rhydd ar hewlydd yr hwyr
yn ymsonau'r pum synnwyr.

Yn sŵn coll cusanau cudd,
awn ni'n wefusau newydd
i chwilota a chael ateb
yn hwyr y nos yn nhir neb:

dod i'n lle dan y lleuad,
dod o raid at westy rhad
a ffoi i dŷ lle caiff dau
anwesu dan gynfasau...

Ac oedd, mi oedd trwy'r meddwi
heno'i llygaid tanbaid hi
yn sŵn wythnos o noethni'n
agor mwy o'u gwir i mi.

Casino Royale

O stryd i stryd fel tasai direidi
â chynllwyn i'm dwyn i fynd amdani,
mi es a'i hebrwng o wres matresi
heibio i'r düwch cyn i'r bariau dewi.
Ac wrth grwydro hefo hi, roedd y byd
am un ennyd yn mynnu'n henwi.

Yn ddau bererin, troi draw'n ddiflino
yn sŵn y cusanau i'n casino
(a rhoi i'r roulette yr elw eto).
Ond onid oedd, tra bo'r byd yn dyddio,
rywun yn rhywle'n trio, fel geiriau
torrwr beddau, ein taer rybuddio?

Lawr yn y ddinas

Mae'n nos Wener arferol
a'r hen dre heno'n drwm o bobol.
Criwiau sydd 'di cau'r heol,
yn heglog eu stryffaglu meddwol.
Ond chwilio'n wyllt i'w chael yn ôl sy'n rhaid;
wnâi'r un enaid trwy'r dre'n wahanol.

Anturiaeth gwydrau'n taro
a ffrogiau o flodau'n cofleidio.
Cyffion, a lleisiau cwffio,
a genod trwy'u hugeiniau'n crïo.
Sŵn ceir a bas yn curo, a sŵn dyn
a'i waedd am un a hi ddim yno.

Allai hogan ddel a gwely
fan hyn, gefn nos, ddim fy nenu.
Ac yng Nghlwb Ifor, yfory
a fydd hefo'i holl dynghedu
yn dweud bod trwy'r cerrig du yn y lôn
sŵn fy noson fy hun yn nesu...

Ar lan y môr

Roedd y cefnfor yn torri ei galon
wrth ein gwylio'n oedi
nid law yn llaw uwch y lli,

ond â dryswch brad yr oesau a'i hawl
ar wylo mynwesau
yn aros byth dros y bae.

Ac yn lle bu traeth dyhead, nid oedd
rhwng dau ond mân siarad
yn yr haul dieglurhad.

Yn wag tu ôl i'w llygaid hi a thrwy
ddistawrwydd y stori,
deuai'r alwad o'r heli:

aeth hithau ymlaen â'i theithio yn rhith
yr hwyr, nes doedd yno
ond llatai o drai ar dro.

O'n hôl, doedd dim angen iaith, am mai'r môr
mawr mud oedd fel ganwaith
heno'n dod i wneud ei waith.

Gwin a mwg a merched drwg

Hyd lôn lle daw dynion doeth
i brynu merched bronnoeth,
fe ddown ni yn feddwon nos
a rhegi'r pell a'r agos.

Criwiau o hogiau di-hid
yn dyrnu eu cadernid,
yn siarad eu cysuron
dan honni bod, yn y bôn,
hebddi hi bob dyn yn well
nag o'i go' mewn rhyw gawell.

Ac ar lwybr herwyr rhydd
y ddinas fawr ddihenydd,
awn ni'n bac trwy'r sambucas
a rhoi her wrth alw ras
yn geiban cyn eu sgubo
nhw o'r ffordd fel dŵr ar ffo.

Cyn hir, does dim o'r hiraeth
am y tir hallt, am y traeth,
na dim o bwys o damaid
ar yr hewl am nad oes rhaid
credu fel mae cariadon
yn y wawr sydd lawr y lôn.

Os mêts, mêts, a heno mae
pob rheg yn cipio'r hogiau
heb bwyll, yn ddidwyll o ddoeth
i brynu merched bronnoeth.

Pam fod eira'n wyn

Fan hyn, mae trefn wahanol i gladdu
holl glwyddau'r gorffennol.
Er cwrw, rhyw, roc a rôl,
mwy o hwyl 'di'r ymylol.

Heb ofid o Glwb Ifor, mi awn-ni
am un bach yn rhagor
yn gibddall at yr allor,
yn gyfrwys, ddwys, a chau'r ddôr.

Lle i gael llinellau gwyn ydi'r rhaid
sy'n drech na phob gwydryn.
Lle i roi i'r collwyr hyn
ias o hyder yn sydyn.

Lle i rowlio'r holl reolau yn drwch
i drwyn hefo'r dagrau.
Lle i'r gwenith, a hithau
hefo'r hwyr yn llwyr bellhau...

Yr un hen le

Rhoi rhaff i enaid mae pob gorffennol,
rhoi rhaff i ffoi ar ôl gwagio'r ffiol.
A rhoi, ym mhen draw'r heol, mewn clwb nos
achos i aros am yr hers hwyrol.

O lôn i lôn, mi ddaw'n ôl ohonynt
yr un hen alar sy'n cario'n helynt,
a'r mwg sigâr megis cynt sydd rhwng dau
yn troi yn iasau fel llatai'r noswynt.

Ond i'n cynnal, mae o hyd ryw alaw
yn dod wastad ar adegau distaw.
Ac yma'n deg, mi wn y daw, o'r lôn
a wna i ddynion gael teimlo'n ddeunaw,

hithau o rywle fel tarth yr heli
eto rywsut, hefo'i gwallt mewn tresi.
A rhith o haf a welaf i, lle bydd
yn ddwys ei deurudd yn adrodd stori.

Mawrth 2011

Roedd o'n eiddgar i siarad

Roedd o'n eiddgar i siarad
yn iaith ddilediaith ei wlad,
yn rhoi ar brawf eiriau bro'n
ofnus, ac yn ymlafnio'n
ingol er mwyn arddangos
ein hiaith ni, iaith dosbarth nos.

Yn ddifynedd, fe wenwn
yn swrth a nodio i sŵn
a straen ei gystrawenau.
Haws, llawer haws oedd parhau'n
fy hen iaith fain waethaf un.
Yn fud, aeth adref wedyn.

Gorffennaf 2013

Rhy hen

Tafwyl o hwyl, Russell, was,
oedd hon ar lawnt dy ddinas
a'n hieithoedd yn dinoethi
ar lain las dy deyrnas di.
Chdithau'r truan o dan do
er y tywydd partïo.

Bu'n fwriad yma dy wadd
un ha o oerni'r neuadd
i gerdded rownd y gerddi.
Eto, was, a ddeuet ti?
Efallai fod rhai'n rhy hen
i ryw ŵyl yn yr heulwen.

Mehefin 2013. Roedd Cyngor Caerdydd (a'r Cynghorydd Russell Goodway) wedi penderfynu rhoi'r gorau i noddi gŵyl Tafwyl ar dir y Castell.

Dre

Ac mae'r gaea'n llawn annwyd
yng Nghoed Helen a'r lle'n llwyd.

Arfordir diegni'r dydd
a'i wylanod aflonydd
sy'n poeri wast. Mae'r castell
wedi gweld diwrnodau gwell
a thwrw hogiau dŵad
ar y glaw sy'n curo gwlad.

Dyn a ŵyr, mae hyd yn oed
weithiau reg-leisiau'r glasoed
yn fan hyn yn fain eu hiaith;
nid felly hynny unwaith.

Ond gan fod heulwen Menai
yn dal i llnau toeau'r tai,
a llanw effro'r Foryd
yn rhoi her i'r trai o hyd,
mi ddown a maddau heno:
hi yw ein tref, am y tro.

Chwefror 2009

Mynd i brynu pys

Roedd pobol dros y siop yn mynd a dod
pan gamais dros y rhiniog mewn o'r stryd
i brynu pys. Ni holais i pam fod

rhai'n cyrraedd a rhai'n gadael bron o'u co'
dan bwysau'u llwyth. Fel hyn fu hi gyhyd:
y bobol dros y siop yn mynd a dod,

pob un â'i angen, pawb yn rhannu nod,
yn crwydro rhwng y silffoedd braidd yn fud.
Des at y pys. Ni holais i pam fod

y gwŷr â'r trolis trymion bron â bod
â golwg 'di syrffedu ar y byd
a'r bobol dros y siop yn mynd a dod.

O fore gwyn tan nos roedd hyn fel rhod
yn troi a throi'n sŵn tils yn cau o hyd.
Ces fag o bys. Ni holais i pam fod,

gan bwnio i mewn yn ufudd rifau'r côd,
rai'n ciwio'n yr un safle yr un pryd
wrth brynu'r pys. Ni holais i pam fod
y bobol dros y siop yn mynd a dod.

Ionawr 2014

Ar gyrion y dre

A dyna lle'r oedd hi, yn anfon rhyw decst
rhwng drysau McDonalds a maes parcio Next
pan sylwodd hi'n sydyn na chofiai hi ble
adawodd hi'i char. Dim ond cyrion y dre

a welai o'i hamgylch, warysau mawr hir
a'u bilbordiau unffurf yn codi o'r tir.
Mewn rhes: TK Maxx, M&S, KFC
a Morrisons sgwâr; Dunelm Mill, JJB;

siop fathrwms, lle soffas, cwt pizza'n ddi-feth,
i gyd yn ei drysu, i gyd yr un peth
ag oedden nhw ym mhobman o'r mynydd i'r môr,
o Tescos i Starbucks, y cyfan mewn côr

yn chwerthin mewn cylch am na chofiai hi ble
roedd hi wedi parcio ar gyrion y dre.
Ac yna arswydodd wrth ddirnad ei stâd:
ni wyddai hi bellach ble'r oedd hi'n y wlad.

O Boots draw i Asda, ymuno'n un tsiaen
wnâi'r siopau o'i chwmpas; creu cadwyn o'i blaen
a chymaint ei dryswch, ei dychryn a'i strach,
decheuodd hi grïo a chrynu'r beth fach.

A oedd hi ym Mangor, Llandudno neu'n Rhyl?
Yng Nghaer neu yn Lerpwl? Manceinion? At dil
yn un o'r unedau i holi'r aeth hi,
ond fedrai neb ddeall gwallgofrwydd ei chri.

Gafaelodd yn sydyn drachefn yn ei ffôn.
Y batri ddiffygiodd. Hyd heddiw mae sôn
mai dyna lle mae hi rhwng Staples a Spar
hefo coffi o Costa yn chwilio am ei char.

Ionawr 2014

Chwech englyn

Y gwanwyn

Dial yw pob blodeuo: ar y tir,
rat-a-tat yn martsio
a byddin yn rhybuddio
yn eu trensh y daw ein tro.

Y pentir

Os at y môr heno'r af tua'r allt
lawr at draeth, ni chlywaf
ond twrw hwyr pentre haf,
twrw haul ein tir olaf.

Y rhigol

Ymledu mae'r drwgdeimladau o fis
i fis, ond awn ninnau
eleni yn ein blaenau:
ofni dweud yw gefyn dau.

Y brifwyl

A finnau'n benderfynol wedi'r ŵyl
o droi'n chwyldroadol,
gwn yn iawn mai rhygnu'n ôl
wnaf i'r fory arferol.

Y storm

Hel môr o haul y mae'r heli, a neb
yno i'w weld yn sylwi
yng ngwres y tes arnat ti'n
dod ar gerdded, ar gorddi.

Déjà vu

Dyna od fod dyn un waith yma'n gweld
mewn gwedd eitha' perffaith
yr eiliad yn fyw'r eilwaith
eto heb ei chofio, chwaith.

Dennis

Nid yw Dennis yn ddyn rhy denau.
Dyn yw Dennis, fy ffrindiau,
os oes rhaid wrth fesuriadau, llawn peis
a phethau neis (medd seis ei drowsusau).

Nid yw Dennis yn ddyn â doniau.
Dyn di-waith yw ers oesau
(y wlad a'i budd-daliadau sydd wedi
serio'i ddiogi ers ei arddegau).

Dyn o hyd â'i hen anwydau
yn rhwystr i waith awdurdodau,
yn dreth ar wladwriaethau. Dyn septig
ei gŵyn unig, a gwan ei enynnau.

Yn ôl y Mail, wele, y mae
Dennis yn dwyn am gyffuriau.
Un chwydiad o bechodau mewn un dyn,
yn yfwr wedyn, llwfr ei fwriadau.

Mynd ar ôl y pen-olau
wna Dennis (hel dynion a thinau)
a'r stâd a'i chondemniadau sy'n gwgu'n
un llu. Mae hynny, mi fentrwn innau,

yn damniol ddweud cyfrolau.
Ac felly, gyfeillion, fu pethau
hyd ei fywyd llond o feiau. Wêl neb
heibio i'r wyneb wrth boeri'r enwau

nes daw'r dydd: dydd i'n tristáu.
Ar y tŷ, curo taer, a ninnau
yn gyrru hefo'n geiriau yn y man
Dennis i hongian mewn dawns o angau.

Tachwedd 2013

Chwe chwestiwn

Heb y Neb a'i Anwybod,
ydi'r bardd yn medru bod?

Mae antur mewn semantics:
ai grand prî ynteu grand prìcs?

I be, yndê, iaith rhwng dau
os oes iaith sy'n haws weithiau?

Un diwrnod, dod. Mynd wedyn
un min nos. Oes mwy na hyn?

A oes ots pwy wnaeth y sêr
a dau'n cusanu'n dyner?

Ai'r un fath fyddai cathod
pe na bai pawennau'n bod?

Mae'n fin nos diddos

Mae'n fin nos diddos, a dyn
ddaw adre at ddau wydryn.
Ochenaid. Sgrôl trwy'r *widescreen*
a'r we. Te. Ac ar setî'n
ddau feudwy, yn ddefodol,
eistedd ddaw'n orwedd yn ôl.

Paned. Fflician teledu.
Sŵn mân yn tician trwy'r tŷ
a'r oriau, fel minnau mwy,
yn rhithio dros bob trothwy
nes bydd, derfyn dydd, hi'n daith
ddi-ddim a lithrodd ymaith.

Ebrill 2013

Madame Sybille

Rhois fy nghledr yn lledr ei llaw.
Hi o ddifri, mor ddifraw'n
rhannu'i barn am droeon byd,
am amheuon fy mywyd.
Dweud ei bod yn gweld y bedd,
gweld duw yn galw diwedd.

Magais â'm hiwmor gorau
wedd ddi-hid wrth iddi wau
cabledd trwy'i bysedd, nes bod
annog hon yn jôc hynod.
Hi a'i theip. Mi es o'i thŷ
a'i chellwair ffair. A fferru.

Mehefin 2012

Y diwrnod ar ôl y dêt

Mae'n fore Gwener arall o flaen sgrin
a bosib fod dy ben dan dwtsh o straen;
blas gwin yng nghefn dy lwnc; wynebau tîn
cydweithwyr yn twt-twtio o dy flaen.
Mae'n bosib i fân sgwrsio'r oriau hwyr
droi'n fore, a bod rhythmau bas a drwm
calonnau'n dal yn eco, ac ôl cŵyr
canhwyllau neithiwr dan dy aeliau trwm.
Ond waeth gen ti am hynny. Ar y cloc
mae'r tecsts rhwng dau'n prysuro cwrs y pnawn;
naw wfft i shifft mewn swyddfa achos, toc,
mae'r Sul ar ddod a chdithau'n dallt yn iawn
fod sioncrwydd newydd heddiw'n llond dy gam.
Dim ond y chdi a hi sy'n gwybod pam.

Medi 2012

Prifddinas

Mae hi'n berwi mewn bariau
gwin, ac mae'n barti'n y Bae
(un meddw'n wir, meddan nhw).

Yn daer, rydw i'n ei dwrw'n
clywed y Gymru wledig
fesul ardal yn dal dig.

Ofni hyn mae dyn gefn nos
a'i ddiodde'n reit ddiddos.

Tachwedd 2008

Ar Heol Santes Fair

Y Santes Fair heno sy'n wg ac yn wên
rhwng pyliau go hir o ddylyfu ei gên
a'r afon fawr chwil sy'n cyfarch pob rheg
o gylch ei cherddediad ara' deg;

y glicied yn Dempseys fan acw sy'n cloi
rhag i'r mwydron a' r meddwon feddwl am ffoi
a llefnyn a thrempyn fydd law yn llaw
a hi'r City Arms yn gwylio'n y glaw;

y dagrau yn gwlitho a bownsars y wawr
sy'n golchi yr olion stiletos o'r llawr
a phennau rhy ysgafn a llygaid rhy gul
a nos Sadwrn arall yn galw'r Sul.

Dos adre, was bach. O Dreganna i'r Rhath,
y penwythnos nesa fydd jest yr un fath.

Gorffennaf 2008

I Wynedd un diweddydd

I Wynedd un diweddydd
ar ei farch trwy'r Gymru fydd
dan glog y daeth swyddog sir.
Pwyntiodd ar hyd y pentir
efo bys fel gwn twelf bôr
ac angau lond ei gyngor
yna dweud, "wyth mil o dai
o fudd i'ch daear fyddai".
Am reid yr aeth sawl gwleidydd –
ar eu hôl roedd tyweirch rhydd,
rhyw bwt o bader, a bedd
ar ei hanner i Wynedd.

Ebrill 2014. Ers misoedd bu dadlau ynghylch cynlluniau dadleuol cynghorau Gwynedd a Môn i godi tai.

Chwe gwirionedd

Yn Sir Fôn, yn siŵr o fod,
cynghorydd oedd King Herod.

Rownd y dŵr yn rhannu'u dysg
yn hirben aiff fy eurbysg.

O gŵys i gŵys, bob yn gam,
cae ŷd ddaw'n darmacadam.

Ofni ei bod hi ar ben
yn y môr wna maharen.

O sŵn cei, un nos ein cwch
a hwylith i'r tawelwch.

Law yn llaw hefo lleian
(un go wleb) gwnes bethau glân.

Mae un lôn ym mhen y wlad

Mae un lôn ym mhen y wlad
a holl lewyrch y lleuad
arni hi. Mi wn fod hon
yn creu hud i'r cariadon
yn y tir hwnt i eiriau
ac yn swildod dawnsio dau.

Ar hon mi wn fod rhannu'n
cynnwrf hwyr cynharaf un.
Yn ystwyth fel tylwyth teg
ar ei hyd mi gawn redeg
ac yn chwil hefo'n gilydd
wylio'n duw'n goleuo'n dydd.

Law yn llaw dan ei hawyr
ucha hi does boen na chur
a thrwy ledrith a gwlith gwlad,
dan sêr sy'n dwyn ein siarad,
o reidrwydd rhaid ei chrwydro.
Ond drat! Mi fethais y tro...

Mawrth 2012

11 Rhagfyr 2012 mewn 336 o sillafau

Mae ar rai'n y Gymru hon
wedd a golwg ddigalon.
Rhai hynod sydd er hynny
yn gweld y wawr trwy'r glaw du.

Ystadegu jest digon
mae rhai nes gweld bai'n y bôn
ar bob carfan mewn hanes.
Ceir lot *who couldn't care less.*

Ac yng Nghlunderwen heno,
yn Hebron, mae'n gynhebrwng eto.
Yn drwm maen nhw'n mynd am dro
i gladdu yn Naugleddau. Mae tystio

gweld dydd y farn yng Ngharno
a hen wynt yn hel trwy Landrillo
a diafol haul hyd Foel Eilio.
Hers oer y Sul sy'n y Bermo

a galarwyr ar glirio
hyn o fyd i hen focs. Mae amdo
ym Mangor, a sgutor o'i go'n
lluchio llwch hyd Landysilio.

Ym Mhen-y-groes, cymoni gro;
yn Rhiw a Rhos, faniau cludo
a brain yn Aber a Nebo.
O bell mae bad yn Llandudno

ar orwel yn ffarwelio
a rhai prin ar y prom yn chwifio.
Ymgymerwyr sy'n curo
ar resi o ddrysau'n ddihidio

a diawliaid yn Llandeilo'n
rhoi hwrê wrth i'r eirch eu pasio.
Os poenus fydd esbonio
hyn i rai; os bydd rhai'n astudio

ffigyrau'r gráff i'w gwirio,
ar y tir dacw'r talp sydd yno
o wir na chaiff mo'i eirio,
un düwch nad oes dianc rhagddo:

mae 'na rai sy'n mynnu rhoi
cynfas i bob un confoi
ddod trwy'n gwlad, ddod trwy'n stadau
a thagu'n hiaith a'i gwanhau.

Ac mae rhai'n y Gymru hon
heddiw yn ein cyhuddo
ni o'n prudd-der arferol.
Mae rhai sydd heb ddim ar ôl.

Rhagfyr 2012. Ar yr unfed ar ddeg o'r mis (dyddiad lladd Llywelyn yn 1282) y cyhoeddwyd canlyniadau Cyfrifiad 2011.

Hen stori

Mi fu'n aeaf araf ei fwriad. Gaeaf o frifo, am i
gyfrifiad bob dydd gwaith roi i'r iaith ryw
frathiad. I'n cysuro awn i'r ciw siarad (dyna'n steil
o weld ein stad ddigynnydd a hen lefydd yng
ngenau mewnlifiad).

Meddai'r gwleidydd: "Rhag hyn ni chuddiwn. I
wneud ein swydd, mi ddadansoddwn. I'r olaf sillaf
mi arsyllwn ac wrth y bedd mi gynadleddwn."

"Â gwarant, mi bwyllgorwn" meddai'r lleill.
"Miniwn fwyeill, am mai nhw a feiwn."

Daw wedyn wanwyn, a dyn yno'n gweld yn y
glaw wlad yn goleuo. Be' weli di, ai haul, ai duo?
Neu bwsio'th lwc, myn diawl, a bwcio'th ddydd o
wyliau, doed a ddelo, bob haf ... a mwynhau'n
braf, waeth faint y mae'n brifo?

Mehefin 2013

Yng Nghlwb Gwawr Caerdydd

"Ateba'n gwic, mae'n bicil" oedd y gân.
Roedd Gwennan yn ymbil.
Y Wawr ei hun mewn *peril:*
"'Da'ni isie hync nad yw'n swil!"

"Ai yno y bydd neiniau?" ymholais,
"a mil o hen famau?"
Yn ddoeth, atebodd hithau:
"I chdi, bydd 'na ferched iau!

"Dydyn nhw'm i gyd yn hen" ensynnodd.
Gwenais innau'n hirben:
"Mi rodiaf draw yn llawen,
yn fy llaw bydd ffrwyth fy llên."

Gwennan, diolch am gwyno, a diolch
mod i wedi'th goelio.
Meddai Rhys: mi ddaru o
fwynhau'i hun fan hyn heno.

29 Ebrill 2010, Milgi, Caerdydd

Os wyt ti'n swyddog ymgynghorol neu'n un o staff llywodraeth leol, yn was sifil uwch-weithredol neu'n gyfieithydd asiantaethol, wrth wneud dy waith, dilyna'r rheol: mae'n bwysig bod yn gydgyfeiriol.

Pan fyddi'n trafod perfformiadau neu'n adrodd yn ôl dy ganfyddiadau, yn llunio rhestr o ddeilliannau neu'n rhagamcanu sgil-effeithiau, bydd yn ddoeth, cans i dy eiriau y bydd adborth ac allbynnau.

Yng nghyd-destun cyfathrebu ac yng nghyswllt gwasanaethu, mewn perthynas â darparu ac yn nhermau ymgysylltu, bydded glir wrth ysgrifennu (o ran hyn, ac yn sgil hynny).

Cofia feddwl yn fframweithiol mewn strategaeth drosfwaol; ffurfia strwythur sy'n ffocysol ar adrannau isranbarthol a bydd yn amlddisgyblaethol mewn glasbrint gwyrdd gwrthwahaniaethol.

Pan ddaw'n adeg i feincnodi swm o arian, rhaid rhagnodi yna mapio a negodi ac arfarnu wrth fewnoli yr holl broses resymoli. Yna hoe – ac ymgynghori.

Os bydd angen cyfranogiad ar ffurf contract cydgysylltiad neu hysbysu cyfathrebiad sy'n gwerthuso pob ymlyniad, dichonoldeba bob ardrawiad ddaw yn sgil dy ragweithrediad.

Ac i gloi, o wir bwysigrwydd (er mwyn ennill dy hapusrwydd) effeithlona d'effeithiolrwydd; cym berchnogaeth, was, oherwydd rhaid mandadu dy ddilysrwydd. Ac os na fydd hynny'n digwydd...

Hydref 2008. I alluogi gweithwyr yn swyddfeydd Cymru i oroesi ym myd cyhoeddus yr unfed ganrif ar hugain.

Be sy'i angen ar yr iaith

Felly, ar ôl bwcio fy ngharafán eisteddfodol
a ffonio fy ngarddwr tomatos personol
a gyrru rhosod o *Marks* at y Comisiynydd Iaith
er mwyn cael siarad efo fy chwaer yn ei gwaith,
ar ôl gweld fy mrawd yn methu actio ar *Rownd a Rownd*,
ar ôl i fi a'r Archdderwydd fynd yn sownd
wrth hwylio mewn *regatta* o amgylch Ynys Môn,
ar ôl gwylio fy nghlips o gig Edward H ar fy ffôn lôn
a mynd o'r dre i'r coleg ac o'r coleg yn ôl i'r dre
i allu cael dweud mai fi sydd biau'r lle
a cherdded rownd Dyffryn Nantlle a Sgubor Goch
yn rhybuddio bod y winllan yn mynd i'r moch,
ar ôl stwffio fy nghopi rhwymedig o Bruce
o ddrws i ddrws yn eu trwynau (a hynny mewn *shoes*),
ar ôl darllen cerddi Graham Davies am fwyta *humous*
ym Mhontcanna, a gwneud hynny'n gwmws,
a chael lifft gan gyfryngi o Gaerfyrddin i'r prom
yn Aber, a mynd ar Twitter hefo *nom
de plume* i gytuno efo honiad gan Simon Brooks
fod Saunders Lewis yn ddyn oedd â *good looks*
(wnes i ddim hyn i gyd, ond dwi'n y stêj bellach
at ddiben y ffeithiau lle na fydd neb callach),
dyma feddwl, bolỳcs! Be sy'i angen ar yr iaith
ydi dyn fel fi yn brasgamu o'i waith
reit o dop y sgaffaldiau efo copi o'r *Sun*
o dan ei gesail, i gyfeiliant sŵn *Radio One*,
mewn jins glas golau llawn staeniau paent gwyn
a rigger boots brown, yn bachu lifft gan bois bin
i ddechrau yfed Strongbow yn gynnar yn y pnawn
achos dyna wneith fy ngwneud i'n hogyn go iawn,

nid mynd am win efo cyfieithydd o'r de
sy'n gweithio i'r sir, achos mae hynny'n gê.
Dim be wyt ti'n ei ddweud na'n ei wneud ydi'r *deal*,
ond o le'r wyt ti'n dod – get *fucking real*.
A dyna pryd ddechreuais i golli fy llais
a breuddwydio'n dawel am gael bod yn Sais.

Ionawr 2014. Cafwyd erthygl yn Y Cymro *o dan y pennawd 'Ai snobyddiaeth sy'n lladd yr iaith?' – a honno'n ymosod ar rai o arferion honedig y dosbarth canol Cymraeg.*

Chwech englyn

Yr hengaer

Daria nhw hen ladron nos iaith a thai
a thir. Dwi'n ddyn andros
o anniddig, ond diddos.
Haws hynny na phalu ffos.

Yr adar

Tylluan tu allan i'r tŷ o nos
i nos sy'n teyrnasu.
Ni thâl i mi'i thawelu:
hofran dod mae cigfrain du.

Y gosb

Fy haf hir, edifeiriol ddyweda'n
ddi-hid o ddiferol
na ddaw, dan haul maddeuol,
fyth un haf â thi yn ôl.

Yr adnod

Er ei dweud, a'i dweud wedyn eto fyth
o'r sêt fawr yn blentyn,
yn gryg aeth geiriau'r hogyn:
collais fy llais fore Llun.

Y porthor

Dod i mewn mae lled y môr, y tro hwn
heb un trai, a'n porthor
eto'n dal i ddal y ddôr
heno i'r eigion ar agor.

Afon Taf

Llifo i'n hawlio mae hi; i'n dinas
ein denu i'w chwmni;
dod i'n hel am ein bod ni'n
rhy ifanc i'n pentrefi.

Un dyn a'i beint

Trwy'r rhegi, trwy gwmnïaeth
y ffraeo hurt a'r geg ffraeth,
mynd yn hŷn er mwyn dod nôl
i roi cyngor o'u congol
y mae'r bois sy'n glwm i'r bar,
yn swigio trwy jôcs hegar,
a'r mymryn anghytuno
o wydrau'r tŷ'n codi'r to.

Ac i'w guddle fel defod,
mae yma un dyn sy'n dod
heddiw'n hŷn o ddydd yn ôl
i fwrw'i bnawn arferol.

Troi'i lygaid at ei seidar
y mae hwn cyn crymu'i war.
Eu hoelio'n galed wedyn
bron i bren y bar ei hun,
i waelod ei ddiodydd,
i wyll ei beint, i lle bydd
pethau dyfnion yn cronni
a mynnu hel, am wn i.

Am seiat ddaw neb ato
ond dod mewn o'r stryd mae o
at yr un llun, yr un lle,
yr un gwydryn, ac adre.

Rhagfyr 2008

Cawodydd haf

Oni ddaw cawodydd haf
yn greulon â'r gair olaf,
clwyddau fydd yr hafau hyn,
annidwyll o hyd wedyn.

Roedd eleni'n driw, Iwan:
geiriau Mai yn ddagrau mân
er bod i'w weld stribedyn
ar ôl o'r haul hwyr ei hun.

Wrth grïo'n digalonni,
am un seiat atat ti
y down ni, er duo'n haf,
a dal y machlud olaf.

Mai 2010. Ddiwedd y mis bu farw Iwan Llwyd.

Henwr cŵl yn hanner cant

Roedd Ionawr ar lawr y wlad
yn llawn barrug, llawn bwriad,
a'r haen rew yn nhre'r haearn
a'r eira o gopa'r garn
yn dal heb orffen llenwi
gwteri iâ chwe-deg-tri.

O'r Ionawr anwar hwnnw
a'r fro'n lluwchio, ar fy llw,
y daeth i'r byd wthiwr bach
ar lun gwŷr mawr ei linach.
Dod i'r byd ar ei bedwar,
yn troi ei ben tua'r bar
yn ddydd oed, ond roedd wedyn
hwn o deip i synnu dyn.

Er nad oedd ganddo'r un dant,
llefarai mewn llifeiriant
a dweud wrth bob un mai da
i stalwyn fyddai Stella.
Ei neges o anogaeth
oedd argymell, yn lle llaeth,
mai'i hawl oedd cwrw melyn
yn ddi-oed i'w wneud yn ddyn.

Fe aed, i'w gadw'n fudan,
draw i'r cot â phedwar can.
Rhyw dyfu'n hŷn wedyn wnaeth
a tharanu'i athroniaeth
hyd y byd. Ym mhedwar ban,
atseiniai tai â'i swnian
a rhoi ar brawf yfwyr bro
yn fedrus wnâi â'i fwydro.

Ond i giwed o Gofis
ar y medd a chwrw'r mis,
er ei gael cyn i'r bar gau
yn ddwy lathen ddwl weithiau,
yn lordio'r lle fel warden
a hwnnw'n brin o un brên,
mynwesol gymwynaswr
diddig i gyd oedd y gŵr.

Diawlineb mewn dyluniwr,
eto'n sant o'i eni'n siŵr:
un i roi i'th bedair wal
ogoniant, ac i gynnal
mewn bar seidar ar y Sul
oedfa y byddai Tudful
ei hun yn falch ohoni.
Yn hyn oll, mae'n ffrind i ni.

Cymro a siarc mwya'r sioe
yn drachtio o wydr echdoe
ond eilun da i'w alw'n daid
a dyn â llond ei enaid
o werthoedd gorau Merthyr
dan ei beint i'w gadw'n bur.
Y tu hwnt i dwrw Taf
mae yno'r pethau mwynaf.

Os od mai hen eleni
yw torrwr ias chwe-deg-tri,
yn rhew'r Ionawr oer hwnnw
a'r fro'n lluwchio, ar fy llw,
eilradd oedd y ddynolryw:
lawr i'r byd daeth rwdlwr byw
a swynwr pỳbs hanner pan:
y pensaer uwchlaw ponsian
a gŵr â chyfeillgarwch
yn ei galon drwyddo'n drwch.

29 Ionawr 2013, Canton Hotel. Y gwrthrych ydi Marc Lloyd-Davies o Ferthyr. Pensaer, potiwr a pharablwr.

I Mari ac Ed

O ddydd i ddydd, mi awn ni'n ddiddan
hyd ein bywyd â'n camau buan.
Mi awn ar ein teithiau mân yng ngolau
lleuadau am y meysydd llydan,

ar y ffyrdd cul a thrwy helbulon
a gyrru i'r haul am y gorwelion.
Mi awn am Fynwy a Môn a cherdded
y lôn galed fel unigolion.

Ond cyn i'r lôn gael llwyr unioni,
ym mhob oes rhaid i lwybrau groesi:
yn y mêr yn rhywle, Mari, fe fydd
o hyd ddydd lle bydd dau ddyweddi

a dwy galon yn ffeindio'i gilydd,
y rheiny'n troi ar yr un trywydd
yn ôl ar yr heolydd o'r Clogwyn
am Faldwyn, lle mae ŵyn y mynydd

yn ffoi i ryddid ar y ffriddoedd;
lle mae'r wên lawen rhwng teuluoedd
i'w gweld hyd y wlad ar goedd yn ernes
o'r hanes sydd ym mhridd dyffrynnoedd.

A thra bydd, bob dydd, deithio diddan
hyd eich bywyd â chamau buan
heibio i'r mil o lwybrau mân, mae'r rheiny
â hi'n gaeafu heno'n gyfan.

27 Hydref 2012, Caernarfon

Dwbwl fy oed

Dwbwl fy oed o balâfa ydi'o.
Dwbwl y sŵn ar ôl *doubles* heno.
Dwbwl mwy parod o hyd i nodio
na gwenu'n iawn. Dyn sy'n llawn cynllwynio
os tyb fod hen fodryb am ei fwydro.
Dwbwl trwbwl os yw'n taro heibio
i griwiau o Fôn wrth garafanio.
Dwbwl y waedd os yw'n gorfod bloeddio.
Dwbwl yw'r bol, a dwbwl rebelio
yn erbyn pob barman sy'n ei fànio.
Dwbwl y cyfarth ac yna'r arthio
ar bob un idiot sy'n trio'i boenydio.
O'i wirfodd, dwbwl yr anghydffurfio
a bobol annwyl, dwbwl y *wino*
ar ôl hel ei bac ar wyliau beicio.
Ond dwbwl ffŵl go iawn fyddai'n ffeilio
hyn o eiriau heb ryw led egluro
mai yr un un brethyn sy'n ein britho
a gŵr sy'n reit ddiguro, fel erioed,
yn ei drigain oed i'r hogyn ydi'o.

25 Mai 2013, Nant Gwrtheyrn. Roedd fy nhad yn dathlu'i ben-blwydd yn drigain a finnau wedi cael fy mhen-blwydd yn ddeg ar hugain rai wythnosau ynghynt.

Woodville Road

Mi oedd yna adeg ar y strydoedd hyn
a hithau'n bwrw hen wragedd a ffyn
a finnau â darlith am chwarter i dri
yn meddwl am ddim, ond amdanach chdi.
Doedd bwys gan y dyddiau am fynd nac am ddod
wrth hel eu cawodydd dros Woodville Road,
a'r hogiau i gyd yn y Maci'n y pnawn,
traethodau yn wag, a'n gwydrau yn llawn.

Heddiw, a hithau yn hwyr rhyw ddydd Llun,
dwi'n ôl yn ein congol, ond rywfaint yn hŷn,
yn sbïo trwy'r ffenest ar stwidants yn hel
cyn y ddarlith ola, o dan ymbarél.
Yng nghrïo'r glaw, mae eu lleisiau nhw'n bell
ac mae Woodville Road yn gwybod yn well:
fyddi di ddim yno, a thrwy 'ngwydyr sy'n llawn
mae'r Maci yn wag, er ei bod hi yn bnawn.

Hydref 2007

Caersaint

Yma maen nhw, mi wn i,
yn y tir a'r cwteri
yn hel ein straeon o hyd,
a'r hen furiau'n y foryd
yn dal mil o chwedlau mân
hen fywydau yn fudan
dan y sment a'r palmentydd,
o dan lwybrau dechrau'n dydd.
Ac yn halen y Fenai,
cloi o'u hôl mae'r swnd a'r clai
yr hanesion di-sôn sydd
drwy'r mêr yn drwm oherwydd
pan awn o'r dre'n ein henaint,
aros o hyd fydd Caersaint.

Gorffennaf 2011

Diwedd yr ha yng Ngŵyl Gwydir

Ar godi ym mro Gwydir, mae 'na sêr
mân a siarad difyr;
y ne yn wagle eglur, ac yna,
gŵyl ola'r ha yn goleuo'r awyr.

Hel Awst i wydrau plastig beint wrth beint
wnawn bob un: bob orig
yn y gwair, ail-fyw pob gig, pob hwyrddydd
yn haul y meysydd; aildeimlo miwisg

yr heli a'r partïon; chwarae'n ôl
a chrynhoi'n hatgofion
ar dramwy o Fynwy i Fôn; pob gwersyll
gwâr o bebyll yn troi'n grybibion;

Mehefin ym mhŷbs y ddinas a stags
a CD'r Bandana.
Steddfod a sesh briodas; bob noswaith,
dewin y campwaith i gyd o'n cwmpas.

Yn nhwrw'r Ods, mae heno rai'n llanast;
ambell un yn llatai;
rhai tu hwnt i waliau'r tai yn brysur
yn chwilio am antur chwil i'w mintai.

Uwch y drymiau, sgrech a drama a chwedl,
a chan na fydd para
llawer hwy ar allu'r ha, trwy'r dyfnder
o dan y sêr mae'n rhaid bod yn Syria,

wrth fochel rhag rhyfela yn y llwch,
rai sy'n llawn nostaljia
am wyliau a dyddiau da. Mewn helbul
yn eu hymyl, dyma ninnau yma,

neon yn llond ein hawyr a sŵn bands
yn y bar fel murmur
yn dod i ben. Eiliadau byr llonydd,
a'r dydd yn gawodydd dros fro Gwydir.

31 Awst 2013, Nant Conwy. Roedd y tywallt gwaed yn Syria yn ei anterth a thymor y gwyliau yng Nghymru ar fin dod i ben.

GWYL GWYDIR

Mae lôn yn ôl

Mae'r nos fel hen fitsh dros y stryd ddi-bobol,
gwynt traed y meirw'n cribinio beddi'r llan.
Rhyw gêm bêl-droed ar sgrin y dafarn leol
a dim ond un yn gwylio. Man a man
i'r cŵn a'r brain ddod draw; mae'r lle ar ddarfod,
a'r byd i'w weld yn gwybod hynny'n barod.

Dan lampau hwyr, y lôn i'r wlad sy'n danfon
y ceir i gyrchu'r gwyll trwy'r golau gwan;
hel mwsog y mae tracs di-drên y stesion
wrth wyro i'r tywyllwch. Man a man
i'r cŵn a'r brain ddod draw; mae'r lle ar ddarfod,
a'r byd i'w weld yn gwybod hynny'n barod.

Ond dacw hi: y wawr sy'n gwrthod ildio;
y llenni'n agor llygaid fesul cam
a'r haul fel tasai'n trio ymddiheuro
wrth sbecian trwy'r mynyddoedd. Â gwên gam,
mae'r bore'n trio dweud ei fod o'n barod
i'r dre gael canu'n iach â'i thylluanod.

Bryd hynny, yn yr enwau sy'n gyfarwydd,
yn osgo sgwrs, mae'r dyn wnaeth hel ei draed
wrth ofni cael ei ddal yn y distawrwydd
yn gwybod bod dod adre yn y gwaed.
Y lôn yn ôl, fydd honno byth yn darfod:
mae'r cŵn a'r brain yn deall hynny'n barod.

Hydref 2012. Fersiwn o'r gân Deffroad y Ffoadur *a recordiwyd efo Llwybr Llaethog yn Tŷ Ni, Grangetown.*

Mae'r gwanwyn lond yr awyr

Mae'r gwanwyn lond yr awyr, ydi wir.
Mi daerwn imi'i weld o hyd y tir
yn crwydro yn yr awel heddiw'r pnawn:
mae'r gwanwyn ar ei ffordd, mi wn yn iawn.

Mae hwn yn gwisgio'i sgidiau, wir i ti:
mewn gerddi a thrwy'r strydoedd fe fydd hi
yn dywydd sbectol haul a shorts a het,
yn dymor tes a thisian, mi rof fet.

Cymylau uwch y dre fydd eto'n hel;
rhaid derbyn hynny wastad, on'd oes del.
Na hidia: os daw eto dros y sir
gawodydd glaw, wna'r rhain ddim para'n hir.

Oherwydd dacw'r gwanwyn ar y gwynt
yn union fel yr hen wanwynau cynt
a'r rhai fydd eto i ddod ar hyd y byd –
y tro cynta a'r tro ola yr un pryd.

Mawrth 2014

Fel hyn, mae'n siŵr

Fel hyn, mae'n siŵr, yr oedd yr hafau gynt:
yr allt yn bistyll haul, a thonnau Enlli
ac oglau gwin a genod ar y gwynt
a chwrw hallt yn setlo'n sŵn yr heli.
Mae'n flêr ar ddec y dafarn, rhai ar stolion
yn gwegian; mae 'na rai yn swatio'n nes;
mae pennau'n llenwi hefo mabinogion
a'r sêr yn syllu i'r tywod wedi'r gwres.
Mi faglwn fyny'r rhiw yn ôl i'n gwersyll,
i'n sachau cysgu; chwyrnu ben wrth droed.
Llŷn ŵyr, pan ddaw hi'n adeg tynnu'r pebyll
na fydd ar ôl, bnawn fory, fel erioed,
ond patshyn crin o wair, stwmp ambell ffag,
a phob un drosto'i hun yn pacio'i fag.

Gorffennaf 2013, Aberdaron

Un stribedyn bach

Roedd y dre, o'i cherddded druan, yn gaer
lle'r oedd gwyll yn hongian
hyd y maes. Chwipiadau mân

y smwclaw yn bygwth cawod nes hel,
bob sut, y gwylanod
i'r awel oer. Yr haul od

yn yr awyr ar rewi, a rhwng mur
a mur a mieri
a'r môr, heibio i'r tŵr â mi.

Gwgu wnâi'r meini duon, a dim ond
symud mud cysgodion
bwriadus, ac ysbrydion

a mwrllwch yn drwch dros y dre. Fe es,
ond gan fynd i nunlle,
heb fod sŵn na bw na be

yn y porth, at ei wyneb hir a gwag,
a gweld trwy'r caregdir
dan y cloc stribedyn clir.

Dim ond un stribedyn bach o olau
yn hawlio mewn cilfach
ei lwybr trwy'r awyr iach;

un llygedyn ar gydio, yn rhoi'i lafn
ar y lôn wrth frwydro
tua'r allt. Ond mi wnâi'r tro.

Un stribedyn ar y stryd, ond digon,
digon ar y funud
i ŵr ei weld, am ryw hyd.

Mai 2014

Alban Hefin

Mae Alban Hefin eto wrth y drws:
i'r parti, pam nad awn ni 'mlodyn tlws?
Ar hyd y ddinas eto, fel erioed,
mae'r diwrnod hira' un yn cadw'r oed:
yr haul yn oedi eiliad dros y stryd,
yn stretsio dros ein stâd. Pam yn y byd
nad awn ni fel yr aeth ein tadau gynt
yn chwil a chario'n cân i'r pedwar gwynt?
Gei dithau wisgo torch o flodau hardd
a dawnsio; mi ga' innau actio'r bardd
a Chowbridge Road o'n cwmpas fydd yn stond
wrth wylio'r pererinion. Petai ond,
ag Alban Hefin eto dros y dre,
y llwybrau yn ein dwyn ni i'r un lle.
Mi godwn goelcerth, ffeindio hen gitâr
a dathlu cylchdro arall mewn rhyw far;
yn hwyrach 'mlaen, mi chwifiwn olwyn dân
a phlethu'n gadwyn. Pam, yn ddiwahân,
nad awn ni'n dau â chryndod yn ein mêr
wrth weld ysbrydion Canton lond y sêr?
Cyn hir, mi fydd yr ha yn hel ei draed,
te angladd toc trwy'r tir yn oeri'r gwaed
a'r haul drachefn yn cychwyn ar ei daith
yn ôl i'r de. Dwed imi, pam un waith
nad awn ni law yn llaw? Mae rhywbeth sydd
o'n hamgylch, onid awn, yn dweud y bydd
ein gwalltiau'n britho gyda throi pob rhod
a'n Halban Hefin eisoes wedi bod.

21 Mehefin 2013